Le détective Malinou

Texte : Philippe Lapeyre
Illustrations : Malorie Laisne

Sommaire

L'HISTOIRE

LES DOCUMENTS

Les lieux

Le bureau
de Malinou

L'appartement
de Tasheera

Les personnages

Malinou :
un labrador
détective

Sandra :
l'assistante
de Malinou

Tasheera :
la cliente
de Malinou

Rastapouette :
le hamster
de Tasheera

> *Le détective Malinou est un labrador :*
> *un gros chien au poil beige.*

I
Un drôle de détective

Malinou est un labrador détective, il a un flair exceptionnel.
Sandra, son assistante, le suit partout.

Sous ses airs un peu étranges, le détective Malinou conclut
toujours ses enquêtes avec succès. Malinou et Sandra,
son assistante, forment une équipe extrêmement efficace.
Malinou est appelé sur une nouvelle enquête : la disparition
du petit hamster Rastapouette. Parviendra-t-il à dénouer
les fils de ce mystère ? C'est ce que nous allons apprendre...

Le détective Malinou est un labrador : un gros chien
au poil beige. Oui, mais, direz-vous, un labrador détective,
c'est plutôt étrange, non ? Si encore c'était
un chien policier...

Eh oui, le détective Malinou n'est pas un labrador
comme les autres : il a un flair exceptionnel et
devine tout très rapidement. Malinou est ce qu'on appelle
un fin limier.
Malinou est un champion pour attraper les voleurs
ou les criminels. En plus, il a sa manière bien à lui
de travailler. Il observe, il réfléchit et, quand il a trouvé
la solution, il tousse un peu et remue trois fois la queue.

Son assistante le suit partout. Elle s'appelle Sandra.
C'est une chatte siamoise. Elle est très jolie,
avec de fines moustaches blanches, des yeux
d'un bleu profond et de superbes lunettes en écaille.

Il y a juste une chose gênante : quand Malinou dit
quelque chose, personne ne le comprend.
Quand il veut parler, ça fait quelque chose comme :
« bzxfhjgrrrr...»
Évidemment, cela gêne Malinou pendant ses enquêtes :
ce n'est pas facile, pour communiquer avec les autres.

Mais, comme Sandra le suit partout, ce n'est pas si grave ;
c'est elle qui traduit, car elle est la seule à comprendre
ce que dit le détective.

En plus, Malinou n'a pas besoin de parler pour indiquer
qu'il a la solution. Il tousse un peu et remue trois fois
la queue.

▶ Ce matin, Malinou finit sa toilette.
À ce moment-là, le téléphone sonne. C'est Sandra.

II
Une inquiétante disparition

Une nouvelle enquête commence pour Malinou et Sandra :
un petit hamster nommé Rastapouette a disparu.

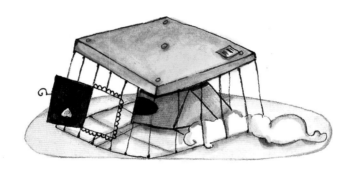

Ce matin, Malinou finit sa toilette. À ce moment-là, le téléphone sonne. C'est Sandra...

Elle lui demande de se dépêcher de venir au bureau, car une cliente nommée Tasheera a appelé. Cette cliente est en route pour confier une affaire au détective...
C'est une triste histoire : son petit hamster Rastapouette a disparu. Malinou prend juste le temps de dire :
« Jhrtzzwg ! » et il raccroche.
Direction : le bureau.

Au bureau, Malinou écoute attentivement le récit
de Tasheera, tout en sirotant un café préparé par
Sandra. Tasheera est une grande autruche,
très distinguée.
Elle explique :
– Rastapouette ne quitte jamais sa cage. Même quand
la porte est ouverte ! Hier matin, j'étais sortie pour faire
quelques courses. À mon retour, j'ai retrouvé la cage
renversée, la porte ouverte et aucune trace de Rastapouette !

▷ *Malinou écoute attentivement le récit de Tasheera, sa cliente.*

Malinou écoute et ne dit rien. C'est Sandra qui pose les questions, comme d'habitude :

– Il a peut-être renversé la cage en jouant. Puis, voyant la porte ouverte, il est sorti pour se promener ?

– C'est ce que j'ai cru au début, mais je vous l'ai dit : Rastapouette ne sort jamais de sa cage ! En plus, il y avait des poils arrachés entre sa cage et la porte de l'appartement. Ce sont des traces de lutte !

On a enlevé mon Rastapouette ! crie-t-elle finalement en éclatant en sanglots.

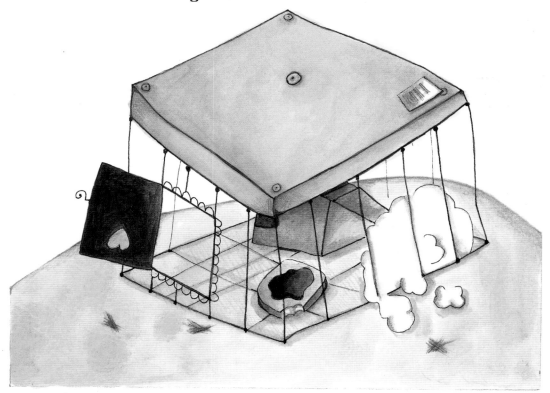

Il y avait des poils arrachés entre sa cage et la porte de l'appartement. Ce sont des traces de lutte !

▶ *Malinou observe la cage renversée et il trouve à l'intérieur une biscotte tartinée de crème de marrons.*

III
Isadora

Malinou et Sandra sont dans l'appartement de Tasheera.
Un grand désordre règne. Malinou observe tout.
Va-t-il retrouver Rastapouette ?

Nous sommes dans l'appartement de Tasheera.

Un grand désordre règne, comme l'a décrit l'autruche.

Sur la cheminée, dans un cadre, on voit une photo

de Rastapouette. C'est un joli petit hamster

au pelage beige. Comme Malinou...

Sandra prend des notes, sous la dictée de Malinou :

« Zjjsmnhvv... », remarque-t-il à l'intention

de son assistante.

Malinou observe attentivement la scène. Patiemment,

il recueille les touffes de poils arrachées. Il observe

la cage renversée et il trouve à l'intérieur

une biscotte tartinée de crème de marrons.

– C'est sa friandise préférée, soupire Tasheera. Il a à peine eu

le temps de la commencer.

En effet, Malinou distingue nettement des traces de
dents. Deux incisives de hamster ont grignoté
un coin de la biscotte.

Il refait le chemin entre la cage et la porte de l'apparte-
ment. Il remarque un plan de la ville affiché au mur.
Un petit rond tracé au stylo rouge attire son attention.
Il le désigne à Sandra. Celle-ci demande à Tasheera :

– Que signifie ce rond sur le plan ?

– Oh, c'est là qu'habite une certaine Isadora,
une petite femelle hamster. C'est une camarade
de Rastapouette. Mais elle ne me plaît pas trop.
Je lui ai interdit de revenir voir Rastapouette.

Malinou s'adresse à Sandra :

– Hkjjz brh vvlz ?

– Rastapouette a-t-il des affaires personnelles qu'il range
quelque part ? demande Sandra à Tasheera.

– Ses seules affaires sont dans ma chambre, répond
l'autruche avec un air étonné. Mais Rastapouette n'a
pas le droit d'y toucher sans ma permission…

Malinou observe le contenu de la boîte à chaussures
que lui tend Tasheera. Il décide de l'emporter.

– Que signifie ce rond sur le plan ?
– C'est là qu'habite une certaine Isadora, une petite femelle hamster.
C'est une camarade de Rastapouette.

Après un silence, il lance à Sandra : « Shwrzz ul hk ! »
Sandra a compris. Il est temps de partir.
– Eh bien, et maintenant, qu'est-ce qui se passe ?
demande l'autruche en les voyant partir.
– Nous vous verrons demain, au bureau, avec du
nouveau, répond Sandra sans donner de détails.

▶ *Malinou remarque une fente dans la paroi de la boîte.*
Quelque chose semble y être dissimulé.

IV
Tout s'explique !

Des poils de chat, une lettre cachée, mais qu'est-ce que cela veut dire ?
Malinou commence à comprendre...

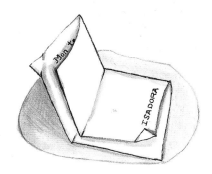

Malinou a déposé Sandra chez elle. Il est de retour
au bureau.

Avec sa loupe, il observe les poils trouvés chez Tasheera.
Ils sont gris et donnent envie à Malinou d'éternuer...
Pas de doute ! Ce ne sont pas les poils de Rastapouette :
ce sont des poils de chat ! Qu'est-ce que cela veut dire ?

Il examine à présent ce que contient la boîte à chaussures :
quelques affaires personnelles sans intérêt. Mais soudain,
Malinou remarque une fente dans la paroi de la boîte.
Quelque chose semble y être dissimulé.

Avec une pince à épiler, il retire une feuille de papier
pliée en quatre.

Il la déplie : c'est une lettre dactylographiée !

Malinou téléphone à Sandra, qui arrive précipitamment au bureau. Il l'accueille avec un toussotement.
Sandra attend et… Malinou remue trois fois la queue !
Lentement, autour d'un café, il montre à Sandra la lettre qu'il a trouvée dans l'appartement. La lettre est signée Isadora. Sandra lit avec stupéfaction :

Mon tendre Rastapouette,
Ce n'est plus possible de continuer comme ça ! Ta maîtresse ne te laisse aucune liberté, elle t'empêche de me voir et nous rend la vie impossible !

– Mais alors, s'exclame Sandra, Rastapouette et Isadora !…
– Yumpf, confirme Malinou avec un hochement de tête.
Sandra reprend la lecture de la lettre :

Tasheera t'étouffe ! Ta cage est une prison !
Si tu m'aimes vraiment, tu dois la quitter et t'enfuir avec moi…
Je sais que tu ne veux surtout pas lui faire de la peine en lui disant que tu pars avec moi.
Alors, voilà, nous allons lui faire croire qu'un chat t'as enlevé…

Sandra parcourt rapidement la suite de la lettre, mais elle a déjà compris. C'est très simple :
Isadora a fait tourner la tête de Rastapouette !

Sandra dit à Malinou :

– Heureusement que vous avez découvert la lettre de cette Isadora !

– Hzvhz ljjz ! approuve Malinou.

– Qu'avez-vous trouvé d'autre ?

Malinou explique à Sandra ce qu'il a découvert à propos des poils de chat.

– Ce n'est déjà pas très courageux de quitter sa maîtresse comme ça, dit Sandra d'un ton sévère. Mais en plus, aller arracher les poils d'un chat pour faire croire à une lutte… Quelle mise en scène ridicule !

– Hmmmf, approuve Malinou.

Demain, il faudra faire venir Tasheera et la mettre au courant de toute l'histoire…

En tout cas, Malinou a encore fait du bon boulot. Rapide et discret.

Sandra se rassoit à son bureau en se demandant : « À quand la prochaine affaire ? ». De toute façon, elle en est sûre : son patron toussera un peu, remuera trois fois la queue et l'énigme sera résolue !

Soudain, le téléphone sonne. Sandra décroche :

– C'est incroyable ! Nestor, l'éléphant du zoo municipal a disparu !

As-tu bien compris ?

Réponds aux questions

1. Tasheera a perdu :

A. son sac à main
B. son chien
C. son hamster

2. Que trouve Malinou dans la boîte à chaussures ?

A. une tartine
B. une lettre
C. des poils de chat

3. Pourquoi Rastapouette a-t-il mis des poils de chat près de sa cage ?

A. pour faire croire à une lutte avec un chat
B. pour décorer le salon
C. pour se faire une couverture

4. Qu'est-il arrivé à Rastapouette ?

A. il est parti se promener
B. il s'est enfui avec Isadora
C. il s'est fait enlever par un chat

Vrai ou faux ?

1. Sandra est la seule à comprendre ce que dit Malinou.

2. Quand Malinou trouve la solution à un problème, il bouge une oreille.

3. Sandra est une grande autruche distinguée.

4. Dans l'appartement de Tasheera, tout est bien rangé.

5. Près de la cage de Rastapouette, Malinou trouve des poils de chat.

6. Rastapouette est parti retrouver sa camarade Isadora.

1 = V ; 2 = F ; 3 = F ; 4 = F ; 5 = V ; 6 = V.
1 = C ; 2 = B ; 3 = A ; 4 = B.

Doc

Traces et empreintes

Enquête à travers la ville

Observe bien le dessin.
Trois Rastapouette sont cachés dedans.
Retrouve-les et montre-les du doigt.

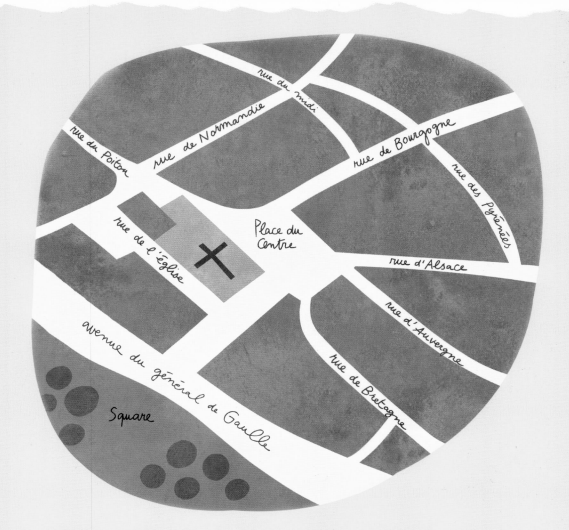

Le plan d'une ville indique les différentes rues. On peut y situer les bâtiments importants (mairie, écoles, musées...) ainsi que les espaces verts et les cours d'eau.

Ce plan est celui de la ville située page 21. Regarde la photo page 21 et repère Malinou et Sandra.

Malinou doit retrouver Sandra mais il ne sait pas quel chemin il doit prendre. En t'aidant du plan, **indique-lui le nom des rues** qu'il doit emprunter pour arriver jusqu'à elle.

À la trace !

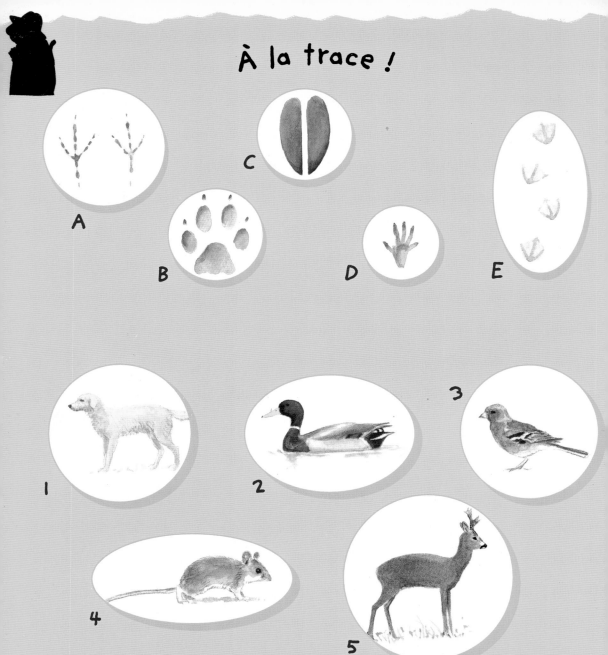

A

C

B

D

E

1

2

3

4

5

Les animaux, en se déplaçant, laissent des marques sur le sol.
On appelle ces marques des **traces** ou des **empreintes**.
Regarde bien ces animaux et **retrouve à qui appartiennent ces traces**.

À la loupe !

Trouve à quels animaux appartiennent ces peaux.

Pour t'aider, voici des indices : parmi ces animaux, il y en a un qui nage, un qui ronge, un qui chante, deux qui rampent. Il y en a un qui avance très lentement, un qui grimpe aux arbres, un qui vole, un qui rugit.

Tu peux aussi t'aider des pages 26 et 27.

1 = tigre ; 2 = serpent ; 3 = crocodile ; 4 = oiseau ; 5 = panda ; 6 = hamster ; 7 = tortue ; 8 = éléphant ; 9 = poisson.

Les dents d'animaux

Tous les animaux ne possèdent pas forcément de dents. Les oiseaux, par exemple, n'en ont pas.

Les mammifères ont **différents types de dents**. Chez les chats, les chiens ou les tigres, les **canines** sont très pointues et très tranchantes ; on les appelle des **crocs**. Ils servent à tuer leurs proies.

Une autruche

Un hamster

Un chat

Un chien

Un tigre

Un éléphant

Un hippopotame

Un crocodile

Le sais-tu ?

- L'éléphant a deux très grandes dents, appelées **défenses** parce qu'elles lui servent à se défendre.

- Pendant toute la durée de sa vie, le crocodile peut avoir jusqu'à **3 000 dents** !

- Chez le hamster, **les incisives poussent tout au long de sa vie.** C'est pourquoi il ronge, afin d'user ses dents.

À chaque mâchoire son régime alimentaire

La forme et le nombre de dents des animaux varient en fonction de ce qu'ils mangent.

Les animaux herbivores, comme la vache et le lapin, ont des **incisives** très développées. Elles servent à **couper** les herbes, les fruits, les racines...

Les animaux carnivores, comme le chat et le chien, ont des **canines** très importantes et très pointues. Elles sont utiles pour **déchiqueter** la viande. Les **molaires** servent à **broyer** les morceaux.

Une vache

La vache et le lapin et aussi le bœuf et le mouton... sont des **animaux herbivores**, c'est-à-dire qu'ils mangent des **herbes**, des **racines**, des **graminées**...

Un lapin

Un chat

Un chien

Le chat et le chien sont des **animaux carnivores**, c'est-à-dire qu'ils mangent de la **viande**, des **souris**, des **oiseaux**, des **lézards**...

Les animaux
ont des ennuis

à Christiane Verger

Le pauvre crocodile n'a pas de C cédille
on a mouillé les L de la pauvre grenouille
le poisson scie
a des soucis
le poisson sole
ça le désole

Mais tous les oiseaux ont des ailes
même le vieil oiseau bleu
même la grenouille verte
elle a deux L avant l'E

Laissez les oiseaux à leur mère
laissez les ruisseaux dans leur lit
laissez les étoiles de mer
sortir si ça leur plaît la nuit
laissez les p'tits enfants briser leur tirelire
laissez passer le café si ça lui fait plaisir

La vieille armoire normande
et la vache bretonne
sont parties dans la lande en riant comme deux folles
les petits veaux abandonnés
pleurent comme des veaux abandonnés

Car les petits veaux n'ont pas d'ailes
comme le vieil oiseau bleu
ils ne possèdent à eux deux
que quelques pattes et deux queues

Laissez les oiseaux à leur mère
laissez les ruisseaux dans leur lit
laissez les étoiles de mer
sortir si ça leur plaît la nuit
laissez les éléphants ne pas apprendre à lire
laissez les hirondelles aller et revenir

Jacques Prévert,
Histoires, Gallimard, 1963.